PATRICK SOBRAL

# LES LÉGENDAIRES

## 2. LE GARDIEN

*Un grand merci à toute l'équipe des Éditions Delcourt, et tout spécialement à Thierry Joor. Ils ont fait de ces deux dernières années de collaboration les plus belles de ma vie.*

Retrouve tes héros sur leur site officiel :
www.leslegendaires-lesite.com

Dépôt légal : novembre 2004. I.S.B.N. : 978-2-84789-477-6

Conception graphique : Trait pour Trait

Imprimé et relié en avril 2013
sur les presses de l'imprimerie Pollina, à Luçon - L23890

*www.editions-delcourt.fr*

GLOBE DE GALÉA QUI ME SERS DE FENÊTRE SUR LE MONDE D'ALYSIA, MONTRE-MOI ! GUIDE MES YEUX ET MES OREILLES ...
... VERS CEUX QUE L'ON APPELLE "LES LÉGENDAIRES" !!!

HAA...

HAAA...

... ATCHOUM !!

SNIF ! J'CROIS QUE J'ME SUIS ENRHUMÉ, MOI !
GRYF ! TU NE POURRAIS PAS TE MOUCHER ? TU AS DE LA MORVE PLEIN LE NEZ !
C'EST DÉGOÛTANT !

AU CAS OÙ ÇA AURAIT ÉCHAPPÉ À TON FORMIDABLE SENS DE L'OBSERVATION, IL NE PEUT PAS BOUGER LES BRAS, SOMBRE IDIOTE !

COMME CHACUN DE NOUS, SHIMY ! PIEDS ET POINGS LIÉS PAR CES PLANTES MONSTRUEUSES.
OH TOI, TU LA DÉFENDS TOUJOURS ! ÇA NE LUI REND PAS SERVICE !
CE N'EST PAS UNE RAISON POUR INSULTER JADINA !
SNIF ! SNIF !
C'EST BON ! C'EST BON ! DÉSOLÉE !
...

QUAND Z'Y REPENZE, QUI AURAIT CRU QU'ÉLYSIO ÉTAIT EN FAIT DARKHELL ?
C'EST ENTIÈREMENT MA FAUTE ! SI JE M'ÉTAIS PLUS MÉFIÉ DE LUI, NOUS...

LAISSE TOMBER, DANAËL ! MÊME MOI QUI NE CROYAIS PAS À SON HISTOIRE D'AMNÉSIE AU DÉPART, J'AI FINI PAR LUI FAIRE CONFIANCE. ALORS, TU SAIS...

LAISSONS-LUI LE BÉNÉFICE DU DOUTE ! APRÈS TOUT, CE SONT LES HOMMES-PLANTES QUI NOUS ONT CAPTURÉS ; PAS ÉLYSIO !

AH OUAIS ? ALORS POURQUOI IL N'EST PAS ICI, AVEC NOUS ??

MAIS JE SUIS LÀ, GRYF !!

ÉLYSIO !!
SALUT, LES GARS !
CHOUETTES CES FRINGUES, HEIN ?
CE SONT LES "ZAR-IKOS" - C'EST LE NOM DES HOMMES-PLANTES - QUI ME LES ONT DONNÉES. CLASSE, NON ?
ON VOIT SURTOUT QUE TU AS RETROUVÉ TES HABITUDES VESTIMENTAIRES... DARKHELL !!
NE M'APPELLE PAS COMME ÇA, GRYF ! JE NE SUIS PAS "LE SORCIER NOIR", J'EN SUIS CERTAIN ! J'AI ENTENDU PARLER DE LUI, C'ÉTAIT UN MONSTRE ! JE NE PEUX PAS ÊTRE CE TYPE !
LES ZAR-IKOS SEMBLENT PENSER LE CONTRAIRE. ET APRÈS AVOIR VU CE QUE TU PEUX FAIRE, PERMETS-NOUS AUSSI D'AVOIR QUELQUES DOUTES.
GRYF ! TU TE MÉFIAIS DE MOI LORS DE NOTRE RENCONTRE, MAIS ON A FINI PAR DEVENIR AMIS. DIS-MOI QUE TU ME CROIS AU PLUS PROFOND DE TOI !
...
TRÈS BIEN !
DE TOUTE FAÇON, LE PROBLÈME SERA RÉGLÉ DANS QUELQUES MINUTES. LES ZAR-IKOS PRÉPARENT EN CE MOMENT MÊME UN PHILTRE QUI ME RENDRA LA MÉMOIRE. ON VERRA ALORS QUI A RAISON !
...
VOUS VERREZ, VOUS ME DEVREZ DES EXCUSES QUAND JE REVIENDRAI POUR VOUS LIBÉRER.
NE PRENDS PAS CE PHILTRE, ÉLYSIO ! SI TU RETROUVES LA MÉMOIRE, LA SEULE CHOSE QUE TU VOUDRAS DE NOUS, CE SERA NOTRE VIE !!
3

ÉCONOMISE TA SALIVE, DANAËL ! IL EST PARTI !!
IL FAUT S'ÉCHAPPER D'ICI AU PLUS VITE, SINON ON EST CUITS !! HUURRGH...
TE FATIGUE PAS, CES LIANES SONT AUSSI RÉSISTANTES QUE DE L'ACIER.
REGARDEZ ! LÀ-HAUT !
C'EST VERTIG ! L'OISEAU D'ÉLYSIO !!
?!
C'EST BIZARRE, ON DIRAIT QU'IL A QUELQUE CHOSE DANS LA BOU...
DFUIIIIITTT
AH ! AH ! AH ! J'ADORE CET OISEAU !!
OH TOI, LA FERME !!
SLURP !
ON DIRAIT QU'IL VEUT REMETTRE ÇA !!
?!
MAIS OUI, BIEN SÛR ! J'AI COMPRIS ! ARROSE-MOI ENCORE, VERTIG !
HEIN ? MAIS QU'EST-CE QU'IL LUI PREND ?
ALORS LÀ !
UN... DEUX...
... ET TROIS !
4

AURIEZ-VOUS OUBLIÉ QUE JE SUIS UNE ELFE ÉLÉMENTAIRE ? JE PEUX FUSIONNER AVEC LES ÉLÉMENTS LORSQUE JE LES TOUCHE ET PRENDRE LEUR FORME. EN L'OCCURENCE, DE L'EAU !
ON APPLAUDIT L'ARTISTE !!

D'ACCORD, ON EST TRÈS TRÈS IMPRESSIONNÉS ! MAIS POUR LES APPLAUDISSEMENTS, IL FAUDRAIT QU'ON AIT LES MAINS LIBRES !

J'AI MON IDÉE LÀ-DESSUS ! TOUTES LES PLANTES DE CET ENDROIT ONT L'AIR D'ÊTRE RELIÉES À CETTE MASSE GÉLATINEUSE. SI JE LA DÉCHIRE...
SPLASH

AÏE !
... ÇA DEVRAIT RÉSOUDRE LE PROBLÈME !!

VERTIG S'EST ENVOLÉ ! JE ME DEMANDE POURQUOI IL NOUS A AIDÉS.
BON, PROCÉDONS PAR PRIORITÉ !
UN : RÉCUPÉRER NOS ARMES. LE LIEN MAGIQUE QUI M'UNIT À MON ÉPÉE D'OR DEVRAIT M'INDIQUER OÙ ELLES SE TROUVENT.
DEUX : RETROUVER ÉLYSIO AVANT QU'IL NE PRENNE LE PHILTRE.
TROIS : FICHER LE CAMP TOUS ENSEMBLE DE CET ENDROIT.

DANAËL, CES GALERIES SOUTERRAINES DOIVENT ÊTRE INFESTÉES DE ZAR-IKOS ! ON NE FERA PAS DIX MÈTRES SANS SE FAIRE REPÉRER.
HUM !

HEU... ZES BEZTIOLES ZE REPÈRENT BIEN À L'ODORAT, NON ? ON N'A QU'À ZE RECOUVRIR DE ZETTE CHOSE GLUANTE POUR MAZQUER NOTRE ODEUR. ON ZERA INVISIBLES ... À LEUR NEZ !
MAIS OUI ! BRILLANT !

NON, NON ET NON ! IL N'EST PAS QUESTION QUE JE ME BADIGEONNE CETTE HORREUR MALODORANTE SUR...

TU VAS TE BOUGER, OUI ?
GRUMBLL !

AU SUIVANT !

ALORS ? ÇA DONNE QUOI ?
MAIS ZI, ZE ZUIS ZÛR QUE ZA PARTIRA AU LAVAZE !
JE SENS MON ÉPÉE À QUELQUES MÈTRES DE...

... LÀÀÀÀÀÀÀÀÀÀÀÀÀÀÀ...

ILS... ILS NE NOUS ONT PAS ZENTIS !
TON GÉNIE NOUS A SAUVÉS, RAZZIA ! SI TU N'ÉTAIS PAS SI GLUANT, JE T'EMBRASSERAIS.

BINGO, MES AMIS !

BEURK ! BEURK ! BEUUURK !
BON ! À PRÉSENT, TROUVONS ÉLYSIO, EN ESPÉRANT QU'IL NE SOIT PAS TROP TARD.
...

ZADINA ! TU POURRAIS NOUS ÉCLAIRER PAR LÀ, Z'TE PLAÎT ?
ON DIRAIT QU'IL Y A QUELQUE CHOSE !

LUZARIA !
QU'EST-CE QUE VOUS AVEZ...
6

VÜ ?

Z'PEUX AVOIR LA MÊME POUR MA CHAMBRE ?
QU'EST-CE QUE ÇA REPRÉSENTE ?

JE CROIS QU'IL S'AGIT D'UN ÉVÉNEMENT QUI S'EST PRODUIT IL Y A PRESQUE UN DEMI-SIÈCLE. À L'ÉPOQUE, DARKHELL AVAIT UN RIVAL DANS SES PLANS DE CONQUÊTE D'ALYSIA. C'ÉTAIT ÉGALEMENT UN PUISSANT SORCIER, MAIS AUSSI LE DERNIER DE SA RACE.

OUI, J'EN AI ENTENDU PARLER AUSSI. C'ÉTAIT UNE RACE DE DÉMONS APPELÉS LES "GALINAS", LES HOMMES-OISEAUX. DARKHELL A AFFRONTÉ SON ULTIME REPRÉSENTANT DANS UN TERRIBLE COMBAT QUI EST ILLUSTRÉ SUR CETTE TAPISSERIE.

ET QU'EST-IL ARRIVÉ À CET HOMME-OISEAU ?
ON NE SAIT PAS. DARKHELL A GAGNÉ LE COMBAT. SANS DOUTE L'A-T-IL TUÉ, TOUT SIMPLEMENT.
SNIF ! SNIF !
HÉ, LES GARS ! VENEZ VOIR !

GRYF ?
IL Y A UN PASSAGE DERRIÈRE LA TAPISSERIE ! ET JE SENS L'ODEUR D'ÉLYSIO À L'AUTRE EXTRÉMITÉ !!
ON TE SUIT !

BEN ÇA ! ... QUELQU'UN PEUT ME PINCER ?
EST-CE QUE JE SUIS LA SEULE À PANIQUER ?
NON, JADINA ! JE TE RASSURE.
ET SI ON REBROUSSAIT CHEMIN ? JE VOTE POUR !
HEU... TU PEUX TE POUZZER, SHIMY ? Z'VOIS RIEN !
7

IL DOIT Y AVOIR AU MOINS UN MILLIER DE ZAR-IKOS !
MES CHERS FRÈRES ! VOICI ENFIN LE MOMENT TANT ATTENDU OÙ NOTRE CRÉATEUR REJOINT SES ENFANTS ! GRÂCE À CE PHILTRE DE "MÉMORIA" ...
... NOTRE PÈRE À TOUS, ICI PRÉSENT, RETROUVERA SON PASSÉ ET L'AMOUR POUR SES FILS.

BON ! LA BONNE NOUVELLE, C'EST QU'ÉLYSIO EST ENCORE... ÉLYSIO !
SI TU LE DIS !

JADINA ! AVEC TON BÂTON-AIGLE, TU VAS ME TRANSPORTER JUSQU'EN BAS POUR QUE JE PUISSE KIDNAPPER ÉLYSIO PAR LES AIRS.
...

D'ACCORD !

ALLONS-Y !

ATTENDS, DANAËL ! LAISSE-MOI Y ALLER À TA PLACE !
... S'IL TE PLAÎT, C'EST TRÈS IMPORTANT POUR MOI !

TU EN ES CERTAIN ?
.. BON, COMME TU VEUX.

MERCI ! NE T'INQUIÈTE PAS, ÇA VA ALLER.

... ET SANS PLUS ATTENDRE ...
8

T'AS DÉJÀ TROP ATTENDU !!
JADINA ! REMONTE, J'AI LE COLIS !
GRYF !

MES FRÈRES ! NOTRE CRÉATEUR VIENT D'ÊTRE ENLEVÉ PAR LES INFIDÈLES ! RATTRAPEZ-LES !!

RAZZIA ! LA PASSE EST POUR TOI !!
ZE L'AI !

BEAU TRAVAIL, GRYF ! ATTENDS, JE T'AIDE À MONTER !
MERCI !

MES SENS D'HOMME-BÊTE VONT NOUS GUIDER VERS LA SORTIE !
COUREZ AUSSI VITE QUE VOUS LE POUVEZ ! CAR, CETTE FOIS-CI, ILS NE NOUS FERONT PAS DE CADEAU !
RAZZIA ! LÂCHE-MOI TOUT DE SUITE !
CROIS-NOUS, ÉLYSIO ! Z'EST POUR TON BIEN !
9

TAP
TAP
TAP
TAP
TAP
TAP
TAP
TAP
TAP
TAP
J'AI L'IMPRESSION QU'ON EST DÉJÀ PASSÉS PAR LÀ !
...
GRYF ! TU ES CERTAIN DE SAVOIR OÙ TU VAS ?
LÀ ! REGARDEZ ! ON VOIT LE CIEL ! ON EST ARRIVÉS !
ET DIRE QUE VOUS DOUTIEZ DE MON SENS ...
... DE L'ORIENTAAAAIIEE !!!
STOP !
HEU... MERCI !
HA ! HA ! ALORS ? OÙ EST PASSÉ VOTRE COURAGE "LÉGENDAIRE" ?
TU L'AS VU, ZELUI-LÀ ?
IL FAUT REBROUSSER CHEMIN ET TROUVER UNE AUTRE SORTIE !
CE N'EST PLUS UNE OPTION...
... CAR LA VOIE EST BOUCHÉE !!
10

NOUS N'AVONS PLUS LE CHOIX ! IL NOUS FAUT SAUTER DANS LA RIVIÈRE !!
HEIN ?... TU PARLES DE CE FILET D'EAU EN BAS ?
TU AS PERDU LA TÊTE ?

TU CHOISIS : UNE MORT CERTAINE FACE AUX ZAR-IKOS OU UNE MORT PROBABLE CENT MÈTRES AU-DESSOUS !!!
NON MAIS EST-CE QUE TU T'ENTENDS ?? TU PARLES D'UN CHOIX !!

VOUS AVEZ RAISON ! C'EST BIEN LE MOMENT DE FAIRE UN DÉBAT ! VOUS ME TIENDREZ AU COURANT, HEIN ?
BAM

WOOOOOOOOOSH

?!
HÉ ! MAIS POURQUOI JE NE TOMBE PAS ?

AH... ! JE VOIS !
WUUUSHH
REGARDEZ ! IL EN VIENT D'AUTRES !!
LAISSEZ-VOUS PORTER PAR NOUS, SI VOUS VOULEZ VIVRE !
... D... D'ACCORD !!
11

HAAAAA...
LES ZAR-IKOS !!!
ZAR
QUI QUE VOUS SOYEZ, NOUS VOUS DEVONS LA VIE ! MERCI !!

ATTENDS DE SAVOIR POURQUOI NOUS VOUS AVONS SAUVÉS, AVANT DE NOUS REMERCIER, DANAËL !
VOUS... VOUS SAVEZ COMMENT JE M'APPELLE ?

ARRÊTE DE BOUGER ZANS ARRÊT, ÉLYSIO ! TU VAS FINIR PAR TOMBER !
C'EST PLUS FORT QUE MOI, J'AI LE VERTIGE !

LES CHOSES SE PASSENT-ELLES COMME VOUS LE SOUHAITEZ, MONSIEUR LE VOLATILE ?

SKROOA ?
N'AYEZ CRAINTE ! JE NE VOUS VEUX AUCUN MAL, VERTIG !

...
... JE NE SUIS PAS LÀ POUR RÉVÉLER VOS PETITS SECRETS !
... TOUT COMME VOUS, JE M'INTÉRESSE À CES LÉGENDAIRES.
MAIS PEUT-ÊTRE PRÉFÉREZ-VOUS QUE JE VOUS APPELLE PAR VOTRE VRAI NOM ?

VRAIMENT, TOUT CELA EST AMUSANT !
QU'EN PENSEZ-VOUS ?

EH BIEN ?

CELA DÉPEND DU POINT DE VUE.

HA! HA! HA! HA!
ALLEZ ! VOLEZ ET SUIVEZ-LES PUISQUE TELLE ÉTAIT VOTRE INTENTION !

POURQUOI NE VOULEZ-VOUS PAS ME DIRE COMMENT VOUS ME CONNAISSEZ ?

NE SOIS PAS PRESSÉ D'AVOIR DES RÉPONSES QUE TU POURRAIS NE PAS AIMER.
MAIS...
SOIS PATIENT ! TU SAURAS CE QU'IL Y A À SAVOIR AU NID.

AU... NID ?

13

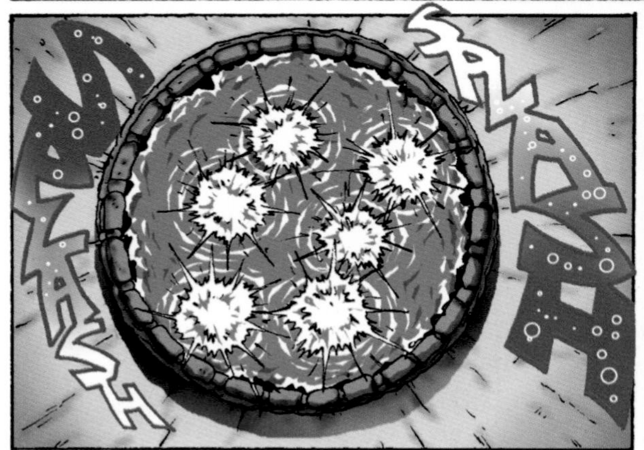

WHAAA ! ELLE EST GLACÉE !!
AU MOINS, NOUS VOILÀ DÉBARRASSÉS DE CE MUCUS VISQUEUX !

HÉ, LES AMIS ! AIDEZ-MOI, Z'AI PERDU ÉLYSIO !!

LÀ ! IL S'ENFUIT !!

ET DIRE QUE JE VOUS CROYAIS MES AMIS. VOUS ÊTES BIEN COMME LES AUTRES !

OÙ CROIS-TU ALLER ?

14

HÉ !

BAM

JE CROIS QUE VOUS AVEZ PERDU CECI.

NE CROYEZ PAS QUE NOUS NE VOUS SOMMES PAS RECONNAISSANTS POUR CE QUE VOUS AVEZ FAIT, MAIS... NOUS AIMERIONS EN SAVOIR UN PEU PLUS SUR CE QUI VOUS A AMENÉS À NOUS SAUVER.

LAISSE-MOI D'ABORD TE POSER UNE QUESTION, DANAËL.

RECONNAIS-TU CECI ?
RA-DAM

MAIS... C'EST...
...
Z'EST ZOLI !

... L'EMBLÊME DES FAUCONS D'ARGENT !!!

BONG!

ASSASSINS ! QU'AVEZ-VOUS FAIT DES HOMMES À QUI APPARTIENNENT CES ARMURES ? VOUS LES AVEZ TUÉS ?!

TU NE COMPRENDS RIEN À RIEN, DANAËL !
COMPRENDRE QUOI ?

?!
REGARDE AUTOUR DE TOI !

"NOUS" SOMMES LES FAUCONS D'ARGENT !!
N... NON...

NOOON...

DANAËL ! QU'Y A-T-IL ? EXPLIQUE-NOUS !

MAIS.. COMMENT TE CONNAISSENT-ILS ?
J'AI... ÉTÉ UN FAUCON D'ARGENT.
... C'ÉTAIT AVANT DE FAIRE PARTIE DES LÉGENDAIRES.

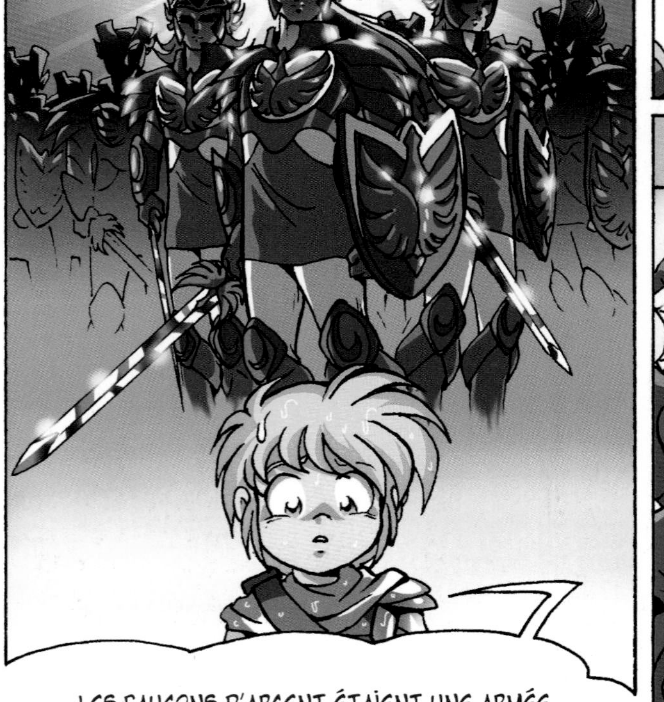

LES FAUCONS D'ARGENT ÉTAIENT UNE ARMÉE D'ÉLITE FORMÉE DES MEILLEURS CHEVALIERS DU ROYAUME DE LARBOS. ON FAISAIT APPEL À EUX POUR DES MISSIONS DE SAUVETAGE OU POUR RÉSOUDRE DES CRISES AU NIVEAU MONDIAL. MAIS... ILS ONT DISPARU LORS D'UNE EXPÉDITION.

EN EFFET !... ET AS-TU ÉGALEMENT COMPRIS QUI JE SUIS ?
OUI !...

TU ES IKAËL... MON FRÈRE !
16

HEUREUX DE TE REVOIR, PETIT FRÈRE ! NOUS AVONS TOUS LES DEUX BEAUCOUP CHANGÉ, N'EST-CE PAS ?...
TU AIMES MA NOUVELLE APPARENCE ?
ARRÊTEZ ! VOUS LE HARCELEZ COMME SI C'ÉTAIT SA FAUTE SI VOUS ÊTES DEVENUS ... COMME ÇA !
SA FAUTE ? ... SA FAUTE ?
OUI, OUI ! C'EST CE QUE J'AI DIT ! PAS LA PEINE D'ÉLEVER LA VOIX !!
MAIS C'EST VOTRE FAUTE À TOUS SI MES COMPAGNONS ET MOI SOMMES À PRÉSENT DES MONSTRES ! VOUS CROYEZ QU'ON A VOULU LANCER UNE MODE ?
HUM... C'EST VRAI QUE ÇA N'AURAIT PAS MARCHÉ !
QU'EST-CE QU'IL SE PASSE ICI ?
IKAËL ! S'IL TE PLAÎT, RACONTE-NOUS CE QU'IL VOUS EST ARRIVÉ !
COMME TU VOUDRAS !... IL Y A À PEU PRÈS UN AN, LARBOSA, ROI DE LARBOS, FIT APPEL AUX FAUCONS D'ARGENT POUR UNE EXPÉDITION PÉRILLEUSE ...
JE NE SAIS PAS SI TU IMAGINES COMBIEN IL A ÉTÉ DUR D'ÊTRE UN FAUCON D'ARGENT DEPUIS L'ACCIDENT JOVÉNIA ! COMME NOTRE HONTE ÉTAIT GRANDE D'AVOIR EU PARMI NOS RANGS UN LÉGENDAIRE, QUI PLUS EST, MON PROPRE FRÈRE.
D'AUTANT PLUS QUE CETTE MISSION AVAIT POUR BUT DE RACHETER "VOTRE" FAUTE !!!
ALORS NOUS AVONS ACCEPTÉ LA MISSION SANS CONDITIONS.
IL ÉTAIT DEVENU SI RARE QU'ON FASSE APPEL À NOUS.
LARBOSA NOUS REMIT UNE CARTE DESSINÉE PAR LES ANCIENS QUI INDIQUAIT PRÉCISÉMENT L'EMPLACEMENT DES PIERRES DES DIEUX QUI....
17

ATTENDS !! TU VEUX DIRE QUE TU AVAIS EN TA POSSESSION UNE CARTE COMME CELLE-CI ?
BEN ZA ALORS !
HUM...

NOUS AVIONS DÉJÀ ÉTÉ SURPRIS QU'ÉLYSIO EN POSSÈDE UN EXEMPLAIRE. CETTE CARTE EST CENSÉE ÊTRE UNIQUE.
...

LAISSE-MOI FINIR, DANAËL ! ET TOUT S'ÉCLAIRCIRA.
NOUS AVONS DONC TRAVERSÉ LE PAYS DE KLAFOOTY EN QUÊTE DE LA PIERRE DE CRESCIA QUI DEVAIT ROMPRE LE SORT DE CELLE DE JOUÉNIA.

ET NOUS L'AVONS TROUVÉE !

MAIS ELLE ÉTAIT PROTÉGÉE PAR LE "GARDIEN," UN ÊTRE À LA LIMITE DU DIVIN QUI FUT CONÇU PAR LES DIEUX POUR VEILLER SUR LES PIERRES.
NOUS AVONS TENTÉ DE LUI PRENDRE DE FORCE CELLE DONT NOUS AVIONS BESOIN !... CE FUT UN DÉSASTRE ! SES POUVOIRS ÉTAIENT SANS COMMUNE MESURE, ET NOUS AVONS DÛ NOUS RÉSIGNER À ACCEPTER SA PROPOSITION.
SI NOUS RÉUSSISSIONS À TRIOMPHER DES ÉPREUVES QUI PARSEMAIENT SA DEMEURE ET À PARVENIR JUSQU'À LUI, MÊME S'IL S'AGISSAIT D'UN SEUL D'ENTRE NOUS, ALORS IL ACCEPTERAIT DE NOUS REMETTRE LA PIERRE DE NOTRE CHOIX.
18

MAIS NOUS AVONS ÉCHOUÉ... LAMENTABLEMENT ! NON SEULEMENT AUCUN DE NOUS N'A PU REJOINDRE LE GARDIEN AU SOMMET DE SON CHÂTEAU, MAIS LA MOITIÉ DE NOS COMPAGNONS A PÉRI EN TRAVERSANT SES PIÈGES MORTELS.

CEPENDANT, PLUTÔT QUE DE NOUS ACHEVER, LE GARDIEN A CHOISI DE FAIRE DES SURVIVANTS DE MONSTRUEUX SERVITEURS À SA SOLDE, DESTINÉS À GUIDER VERS LUI TOUS LES INCONSCIENTS QUI VIENDRAIENT À KLAFOOTY DANS LE MÊME BUT QUE NOUS ET LES PRÉCÉDENTS.

LES PRÉCÉDENTS ?

OUI ! À PRÉSENT, REGARDEZ À L'INTÉRIEUR DE CE COFFRE ET TOUT SERA BEAUCOUP PLUS CLAIR.
Y A QUOI DEDANS ? LES HIZTOIRES, ZA ME CREUSE L'EZTOMAC !!
ZE ZUIS ZÛR QUE Z'EST PLEIN ...
... DE CARTES ?

C'EST IMPOSSIBLE ! CE SONT TOUTES DES CARTES QUI INDIQUENT L'EMPLACEMENT DES PIERRES MAGIQUES ! IL Y EN A PLUSIEURS DIZAINES !

IL N'Y A JAMAIS EU DE CARTE DESSINÉE PAR LES ANCIENS. C'EST LE GARDIEN QUI A EU L'IDÉE DE CE STRATAGÈME POUR ATTIRER DES TÉMÉRAIRES DANS SES GRIFFES. ÇA... LE DISTRAIT ! J'EN SUIS DÉSOLÉ, ET SANS DOUTE PLUS QUE TOI.
DANAËL...
19

NOOON

DAN...
LAISSEZ-LE SEUL, PRINCESSE JADINA ! IL A BESOIN DE DIGÉRER CE QU'IL VIENT D'APPRENDRE !
MON FRÈRE EST QUELQU'UN DE FIER QUI TIRE SA FORCE DE SA CAPACITÉ À CONTRÔLER LES ÉVÉNEMENTS. ET IL VIENT DE SE RENDRE COMPTE...
... QUE SON CONTRÔLE N'EST QU'ILLUSION.

LA NUIT TOMBE ! JE VAIS FAIRE UN FEU POUR VOUS RÉCHAUFFER ET VOUS DONNER DE QUOI VOUS NOURRIR. ET SI DEMAIN, DANAËL LE DÉSIRE TOUJOURS, NOUS VOUS CONDUIRONS JUSQU'AU CHÂTEAU DU GARDIEN.
PAUVRE DANAËL !
IL TIENDRA LE COUP, JADINA. ...

... IL LE FAUT !

QUI EN VEUT ENCORE ? JADINA ?
NON MERCI ! JE SUIS RASSASIÉE !
OH LALA ! TU PEUX PAS DIRE QUE T'AS PLUS FAIM, COMME TOUT LE MONDE ?
SÉRIEUX ! PLUS PERSONNE N'EN VEUT ?...
20

... ALORS JE VAIS EN DONNER À ÉLYSIO.
ET DANAËL ? IL DOIT ÊTRE AFFAMÉ, NON ?

IL N'A PAS BOUGÉ DEPUIS DES HEURES. S'IL A FAIM, IL VIENDRA, T'EN FAIS PAS !

HEU... TU VEUX MANGER UN MORCEAU, ÉLYSIO ?

HO QUE OUI ! TU VEUX BIEN ME DÉTACHER, QUE JE PUISSE UTILISER MES MAINS ?

OUAIS, C'EST ÇA ! TIENS, AVALE ! C'EST BON POUR C'QUE T'AS !
HUMPF !!
ALLEZ, ALLEZ ! NE FAIS PAS LA FINE BOUCHE !
CHOMP !

PFUUIT ! SI DANAËL A LE COURAGE D'ALLER AU BOUT DE CETTE HISTOIRE, JE PEUX SAVOIR CE QUE VOUS COMPTEZ FAIRE DE MOI APRÈS ?

HO, NE T'INQUIÈTE PAS ! TU AURAS CE QUE TU MÉRITES ! ET CE, AVANT QUE TOUT SOIT FINI. ...
...

JE PENSE D'AILLEURS QUE NOUS AURONS TOUS CE QUE NOUS MÉRITONS.

ALLEZ, IL FAUT DORMIR À PRÉSENT ! LA NUIT PORTE CONSEIL.
"NOUS AURONS TOUS CE QUE NOUS MÉRITONS."
21

ALLEZ, TOUT LE MONDE SE LÈVE !

ALLEZ, ALLEZ !
ZZZ... *

DÉSOLÉ, RAZZIA ! LA GRASSE MAT', CE SERA POUR UNE AUTRE FOIS !
DA... DANAËL ? EST-ZE QUE TU... TU... TU...

JE VAIS TRÈS BIEN, RAZZIA ! IL EST TEMPS DE TE LEVER, ON A UN GARDIEN À RENCONTRER.
OH, DANAËL !
OOOOAAAH ! NOTRE CHEVALIER A REPRIS DU POIL DE LA BÊTE, ON DIRAIT !

TU VEUX TOUJOURS ALLER CHERCHER LA PIERRE DE CRESCIA AVEC TOUT CE QUE TU SAIS, PETIT FRÈRE ?

POURQUOI ?
MÊME SI MA CARTE EST UN PIÈGE POUR ATTIRER LES AVENTURIERS À KLAFOOTY, IL N'EMPÊCHE QU'ELLE CONDUIT BEL ET BIEN À LA PIERRE DE CRESCIA, NON ?

JE SUIS SÛR QUE NOUS RÉUSSIRONS À PASSER LES ÉPREUVES DU GARDIEN. ET AVEC LA PIERRE DES DIEUX, NON SEULEMENT NOUS BRISERONS LE CHARME DE JOVÉNIA ...

... MAIS JE LIBÉRERAI LES FAUCONS D'ARGENT DE CETTE MALÉDICTION DONT VOUS AVEZ ÉTÉ VICTIMES. C'EST UNE PROMESSE !
DANAËL !

TOUT SE TERMINERA BIEN, CAR... NOUS LE MÉRITONS !
EN ROUTE !

N'OUBLIEZ PAS VOTRE BAGAGE À MAIN !
BEN TIENS !
22

ET C'EST AINSI QUE QUELQUES HEURES PLUS TARD...
LÉGENDAIRES ! VOICI "KLASHINGA", LA DEMEURE DU GARDIEN DES PIERRES DES DIEUX !! C'EST ICI QUE S'ACHÈVE VOTRE VOYAGE... D'UNE MANIÈRE OU D'UNE AUTRE !

LES FAUCONS D'ARGENT ET MOI ALLONS RETOURNER AU NID. TRAVERSEZ LE PONT, LE GARDIEN VOUS ATTEND DE L'AUTRE CÔTÉ.
TRÈS BIEN !
EH BIEN, LE MOINS QUE L'ON PUISSE DIRE, C'EST QU'IL AIME FAIRE DANS L'ÉPATE !
MOI, ÇA NE M'IMPRESSIONNE PAS PLUS QUE ÇA !
BEN, TU SAIS PAS LA CHANCE QUE T'AS ! ... GULP !
HÉ ! QUELQU'UN PEUT M'AIDER À ATTACHER ÉLYSIO À ZET ARBRE ? LA GLU QUI LE RETENAIT NE FAIT PLUS EFFET !
23

MERZI, GRYF ! T'ES ZÛR DE NE PLUS AVOIR BESOIN DE TES BANDAZES ?
DANAËL, TU PENSES QU'ON PEUT LE LAISSER ICI TOUT SEUL ?
C'EST MOINS RISQUÉ QUE DE L'EMMENER AVEC NOUS !
C'EST TOUT BON ! JE CICATRISE VITE !
J'AI VRAIMENT DE LA PEINE POUR LUI.
Z'EST CHOUETTE, ZA !
LÀ, FRANCHEMENT ! Y A DE L'ABUS, JE TROUVE !!
C'EST POUR SON BIEN ! NE NOUS CASSE PAS LES PIEDS, JADINA !

AU REVOIR, PETIT FRÈRE ! ET... BONNE CHANCE !
NOUS RÉUSSIRONS, IKAËL ! JE TE LE PROMETS !

MES AMIS, NOUS Y SOMMES ! PAS QUESTION DE FAIRE DEMI-TOUR, ON NE REPARTIRA QU'AVEC LA PIERRE DE CRESCIA !!

GRYF ? TU VIENS OU QUOI ?
PARTEZ DEVANT ! JE VÉRIFIE QU'ÉLYSIO NE RISQUE PAS DE S'ÉCHAPPER !
T'INQUIÈTE ! C'EST BIEN SERRÉ, JE CONFIRME !

TU TE RAPPELLES LA NUIT DERNIÈRE ? JE T'AI DIT QU'AVANT QUE TOUT SOIT FINI, TU AURAIS CE QUE TU MÉRITES.

EH BIEN, LE MOMENT EST VENU !!
HÉ !... HÉ ! J'AIME PAS TON SENS DE L'HUMOUR !

ZAP

GRÂCE À ÇA, TU DEVRAIS TE LIBÉRER EN QUELQUES MINUTES.
MAIS... MAIS...
SUR LES PLAINES DE KLAFOOTY, JE T'AI PROMIS QUE JE FERAIS TOUT CE QUI EST EN MON POUVOIR POUR T'AIDER À RETROUVER TON PASSÉ ...

... ALORS C'EST À TOI DE DÉCIDER CE QUE TU VEUX FAIRE DE ÇA !
24

MAIS... C'EST LE PHILTRE DE MÉMOIRE QUE LES ZAR-IKOS AVAIENT FAIT POUR MOI !!

ÉCOUTE-MOI, ÉLYSIO ! JE N'AI PAS ENVIE QUE TU BOIVES CETTE FIOLE, MAIS LE CHOIX T'APPARTIENT. ALORS SI TU LE FAIS ET QUE TU REDEVIENS DARKHELL, ESSAYE DE TE SOUVENIR DE CE QUE J'AI FAIT POUR TOI, D'ACCORD ?

D... D'ACCORD ! ME... MERCI, GRYF !

DÉSOLÉ POUR LE RETARD, LES GARS !
VOILÀ GRYF !

POURQUOI VOUS AVANCEZ PAS ? VOUS TROUVEZ PAS LA...
... SONNETTE ?
HA ! IL NE MANQUAIT PLUS QUE VOUS, COURAGEUX GRYFENFER ! JE PEUX DONC ME PRÉSENTER, MÊME SI VOUS VOUS DOUTEZ BIEN DE QUI JE SUIS : "LE GARDIEN" !!
J'AI SUIVI VOTRE PARCOURS DEPUIS VOTRE ARRIVÉE À KLAFOOTY ! ET JE SERAI PLUS QUE RAVI DE VOUS OFFRIR CE QUE VOUS VOULEZ, C'EST-À-DIRE LA PIERRE DE CRESCIA !
MAIS SOYEZ PRÉVENUS QUE PERSONNE N'A JAMAIS RÉUSSI À TRIOMPHER DES ÉPREUVES QUI SEULES VOUS PERMET-TRONT D'OBTENIR CE QUE VOUS VOULEZ.
25

STOP ! DÉSOLÉ D'INTERROMPRE CE JOLI DISCOURS QUE MANIFESTEMENT VOUS AVEZ BIEN RÉPÉTÉ, MAIS IL Y A DEUX ANS, DARKHELL A PRIS LA PIERRE DE JOVÉNIA ! IL EST DONC VENU À BOUT DE VOS PIÈGES RIDICULES, NON ? ET NOUS, NOUS AVONS VAINCU DARKHELL ! FAITES LE CALCUL !

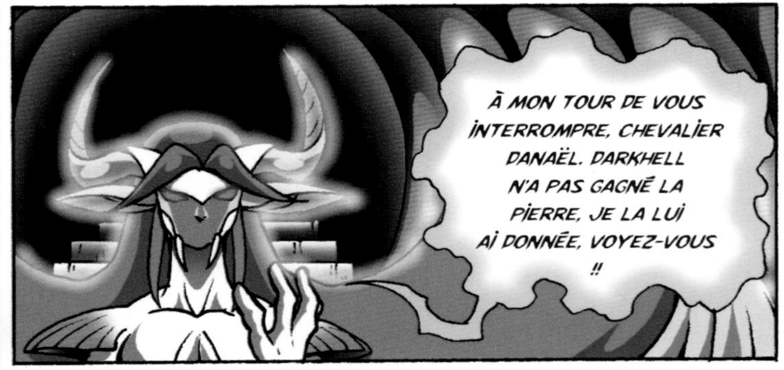
À MON TOUR DE VOUS INTERROMPRE, CHEVALIER DANAËL. DARKHELL N'A PAS GAGNÉ LA PIERRE, JE LA LUI AI DONNÉE, VOYEZ-VOUS !!

DISONS PLUTÔT QU'IL S'AGISSAIT D'UN ÉCHANGE. EN CONTREPARTIE, J'AI DEMANDÉ AU SORCIER NOIR DE PEUPLER KLAFOOTY DE CRÉATURES MAGIQUES. VOUS EN AVEZ RENCONTRÉ CERTAINES, D'AILLEURS. UN BON MOYEN DE FAIRE UN PREMIER TRI DANS LES "HÉROS" QUI VIENDRAIENT ICI.
LES ABEILLES ZÉANTES !
LE TROLL !
LES ZAR-IKOS !
ÇA FAISAIT DÉJÀ PARTIE DES ÉPREUVES.

TOUT À FAIT ! ON PEUT DIRE QU'IL S'AGISSAIT LÀ DES PHASES ÉLIMINATOIRES. EN CE QUI VOUS CONCERNE, CE SONT LES FINALES QUI VOUS ATTENDENT À PRÉSENT. CEPENDANT, VU VOTRE RÉPUTATION DE GUERRIERS INVINCIBLES, J'AI DÉCIDÉ DE CORSER LA DIFFICULTÉ DE CE QUI VOUS ATTEND DANS MON CHÂTEAU EN Y AJOUTANT...

... LE FACTEUR TEMPS !!
UN SABLIER !
LÉGENDAIRES, VOUS AVEZ DIX MINUTES POUR PARVENIR AU SOMMET DE MON CHÂTEAU !... BONNE CHANCE !!
26

ON S'EN VOUDRAIT DE VOUS DÉCEVOIR ! LÉGENDAIRES, EN AVANT !!
QU'EN PENSES-TU, IKAËL ? SE PEUT-IL QU'ILS RÉUSSISSENT LÀ OÙ NOUS AVONS ÉCHOUÉ ? PEUT-ÊTRE QUE...
TAIS-TOI, GANJA ! INUTILE D'AVOIR DE FAUX ESPOIRS...
... CE SONT PEUT-ÊTRE LES LÉGENDAIRES, MAIS ILS NE SONT QUE CINQ ALORS QUE NOUS ÉTIONS UNE ARMÉE.
ILS N'Y ARRIVERONT PAS !
QU'EST-CE QU'IL Y A PAR TERRE ?
J'SAIS PAS ! ÇA CRAQUE COMME DES CHIPS !
HOULÀ ! LE SOL EST INSTABLE !
CRAC!
CRAC!
CRAC!
27

MAIS ZE ZONT DES FRAGMENTS D'OZ ?!
CRAC!
HÉ ! VOUS AVEZ SENTI CE COURANT D'AIR ? C'EST COMME SI QUELQUE CHOSE VENAIT DE PASSER AU-DESSUS DE NOUS !
TU FERAIS MIEUX DE REGARDER OÙ TU MARCHES, GRYF !

COUREZ ! COUREZ À L'AUTRE BOUT DU COULOIR !

MAIS... LES MURS !! ILS SE REFERMENT SUR NOUS !
AIDEZ-MOI ! JE N'AI PAS LA FORCE DE LE RETENIR !
RHAAA !
RRRRRRRRRRRRRRRRRRRR

HO, BEN TIENS ! ÇA S'EST ARRÊTÉ TOUT SEUL ?!

HEU... PAS VRAIMENT !

ZURTOUT VOUS PREZZEZ PAS, HEIN ?

VITE ! TOUT LE MONDE DEHORS !!

RAZZIA ! C'EST BON POUR NOUS, À TON TOUR ! LÂCHE CETTE ÉPÉE ET COURS NOUS REJOINDRE !!

CLANG
OK ! Z'ARRI...

HO-HO !

BAM
RAZZIA... ?
28

RAZZIAAA !!
NOON, PAS RAZZIA ! C'EST PAS POSSIBLE !
TAP ! TAP !

IL FAUT CONTINUER ! NOUS AVONS PERDU SUFFISAMMENT DE TEMPS !
BON SANG, DANAËL ! COMMENT PEUX-TU ÊTRE...

... AUSSI... INSENSIBLE ?
C'EST CE QUE RAZZIA VOUDRAIT.

JE SUIS DÉSOLÉE, DANAËL !!

FÉLICITATIONS, LÉGENDAIRES ! VOUS AVEZ PASSÉ LA PREMIÈRE ÉPREUVE. IL VOUS RESTE SEPT MINUTES !
SALE ...

VOUS AVEZ DÉJÀ PERDU UN DE VOS COMPAGNONS EN TRAVERSANT LE "PIÈGE DE PIERRE" !...
... VOYONS MAINTENANT COMBIEN D'ENTRE VOUS PÉRIRONT DANS...
29

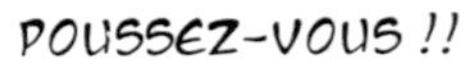

DÉPÊCHEZ-VOUS ! JE NE PEUX MAINTENIR CE NIVEAU DE FUSION ÉLÉMENTAIRE QUE QUELQUES SECONDES !!

SHIMY !

JE PENSE QUE L'AVENTURE
S'ARRÊTE LÀ POUR MOI.

ADIEU, MES AMIIIIIII...

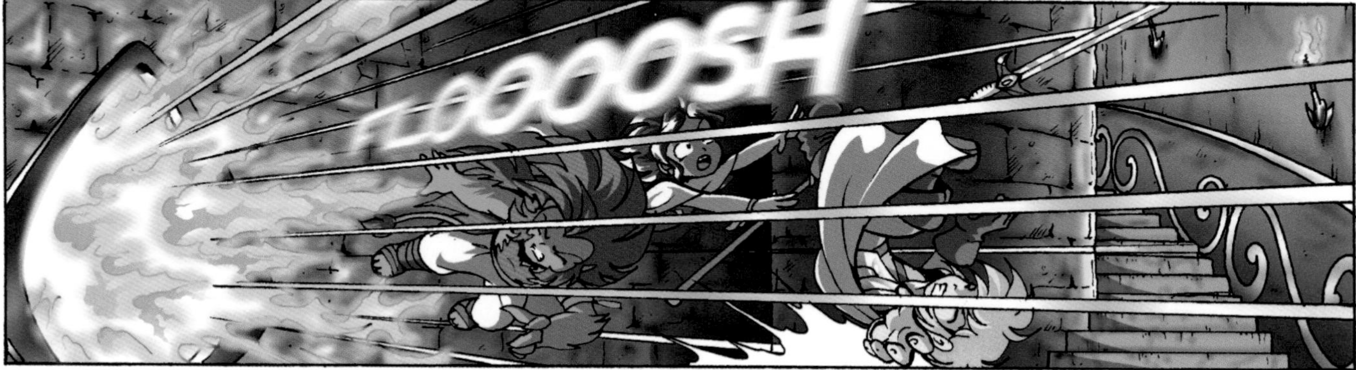
FLOOOOOSH

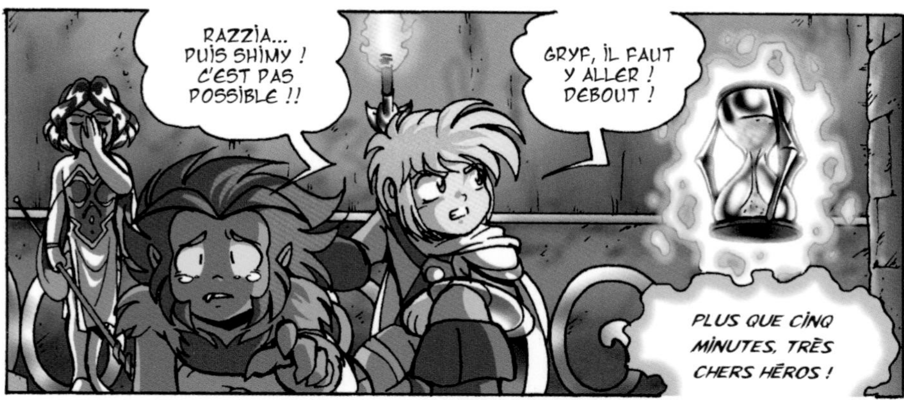
RAZZIA... PUIS SHIMY ! C'EST PAS POSSIBLE !!
GRYF, IL FAUT Y ALLER ! DEBOUT !
PLUS QUE CINQ MINUTES, TRÈS CHERS HÉROS !

TIC-TAC, TIC-TAC...
LA FERME !

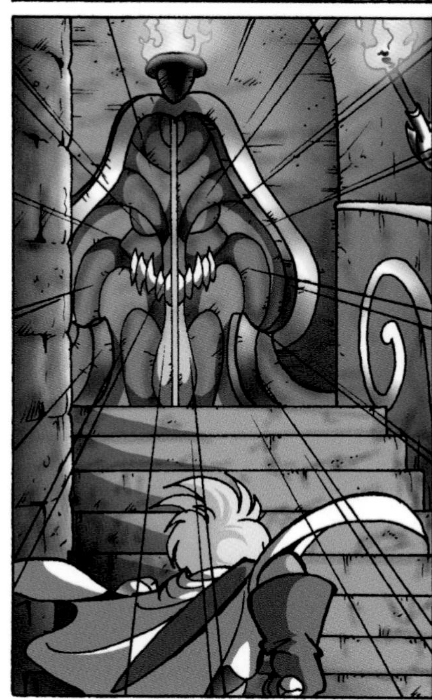

ÉPREUVE SUIVANTE ! DITES-MOI, PETITS HUMAINS, AVEZ-VOUS PEUR DU NOIR COMME LES ENFANTS QUE VOUS ÊTES ?
CROYEZ-MOI, VOUS DEVRIEZ !
31

C'EST VRAI QU'ON N'Y VOIT RIEN, MAIS DE LÀ À AVOIR PEUR !
REGARDEZ ! LÀ-HAUT !

SORTIE
ÇA DOIT ÊTRE LA SORTIE !
T'AS TROUVÉ ÇA TOUTE SEULE ?

C'EST MOI OÙ ÇA VOUS SEMBLE TROP FACILE, À VOUS AUSSI ?

YAAAH !
ZAAP
JADINA !
DANAËL !! DERRIÈRE TOI !

BON SANG ! MAIS QU'EST-CE QUE C'EST ?
CLING !

ZAP
HAAA !! Y EN A PARTOUT !
BAM

COMMENT AFFRONTER QUELQUE CHOSE QU'ON NE VOIT PAS ?
...

AVEC CECI !... LUZARIA !!

HEU... À L'AIDE ?
32

DEBOUT, JADINA ! IL FAUT PARTIR D'ICI !
ON TOUCHE PAS AUX COPINES !!
AÏE ! JE SUIS BLESSÉE, JE NE PEUX PAS BOUGER.
BON BEN, J'CROIS QUE C'EST L'HEURE DU DÎNER.
MALÉDICTION !!
EH BIEN, LÉGENDAIRES ? ON FATIGUE ? PLUS QUE DEUX MINUTES AVANT LA FIN DU JEU !!
SORTIE
DANAËL ! TU VAS NOUS LAISSER ICI ET FILER VERS LA SORTIE !
HEIN ? TU PLAISANTES ? JADINA EST BLESSÉE, JE TE SIGNALE !
JUSTEMENT ! DANS MON ÉTAT, JE NE FERAI QUE VOUS RETARDER. NE T'INQUIÈTE... PAS ! GRYF AURA LE DESSUS, J'EN SUIS SÛRE.
RAPPELLE-TOI ! IL SUFFIT QU'UN SEUL D'ENTRE NOUS ARRIVE JUSQU'AU GARDIEN.
PAS QUEST... HÉ, GRYF ! QU'EST-CE QUE TU...
!!FAAAAAiiiS?
BONNE CHANCE !!
33

TAP

IL Y EST ARRIVÉ !

GRYF !
JADINA !

PLUS QU'UNE MINUTE !

AÏE ! ON NE VA PAS S'EN SORTIR, HEIN, GRYF ?
NON, JADINA !

MERCI D'ÊTRE AVEC MOI JUSQU'AU BOUT !
C'EST UN HONNEUR, PRINCESSE !!

TOI ?
SURPRIS, PETIT CHEVALIER ? COMME JE SUIS CONTENT QUE LE GARDIEN M'AIT DONNÉ UNE CHANCE DE PRENDRE MA REVANCHE SUR TOI !
JE N'AI PAS OUBLIÉ COMME TU M'AS HUMILIÉ DANS LES FALAISES DE KLAFOOTY !!
34

ENTREZ SANS FRAPPER
JE T'EN VEUX TOUJOURS D'AVOIR DÉTRUIT MON FOUET TOUT MIGNON !
PRÉPARE-TOI À M'AFFRONTER !!!
JE SUIS PRÊT ! DÉPÊCHONS !!
NE SOIS PAS SI IMPATIENT !
AVANT, IL FAUT QUE TU SACHES QUE MON ARMURE ET MES ARMES ONT ÉTÉ FORGÉES PAR LES ORCS DE SHAMALAU, CE QUI FAIT QU'ELLES SONT QUASIMENT INDES...
... TRUCTIBLES ?
TU M'EXCUSERAS, MAIS JE SUIS UN PEU PRIS PAR LE TEMPS, LÀ !
ENTREZ SANS
ZIAK
ZIAK
BRAAAM
GARDIEN !! MONTREZ-VOUS ET RÉGLONS NOS COMPTES !
35

JE COMMENÇAIS À M'INQUIÉTER.

VOTRE ARRIVÉE COÏNCIDE AVEC LA CHUTE DU DERNIER GRAIN DE SABLE DU SABLIER.
FÉLICITATIONS !!

JE ME FICHE DE VOS FLATTERIES ! JE NE SUIS PAS LÀ POUR PRENDRE LE THÉ !... LA PIERRE DE CRESCIA, VITE !

BIEN SÛR ! JE N'AI QU'UNE PAROLE ! MAIS AUPARAVANT, NE VOUDRIEZ-VOUS PAS VOIR CE QU'IL EST ADVENU DE VOS CAMARADES ? JE PEUX VOUS LES MONTRER SANS PROBLÈME AVEC LE GLOBE DE GALÉA.

ASSEZ !! COMME SI JE NE SAVAIS PAS DÉJÀ QU'ILS SONT MORTS ! VOUS LES AVEZ TUÉS AVEC VOS SATANÉES ÉPREUVES !!
PAM

HO, MAIS IL Y A MÉPRISE ! JE N'AI FAIT QUE PROTÉGER LES PIERRES, COMME LES DIEUX ME L'ONT ORDONNÉ. C'EST VOUS, CHEVALIER DANAËL, QUI AVEZ PRIS LA RESPONSABILITÉ DE CONDUIRE VOS AMIS DANS CETTE AVENTURE SUICIDAIRE !
VOUS NE ME FEREZ PAS SENTIR PLUS COUPABLE QUE JE NE LE SUIS DÉJÀ ! MAIS JE FERAI EN SORTE QU'ILS N'AIENT PAS PÉRI POUR RIEN.
... LA PIERRE !!!
36

TRÈS BIEN !
QUE CELUI QUI EST PARVENU JUSQU'À MOI PAR-DELÀ LES ÉPREUVES SE VOIT REMETTRE LA PIERRE DES DIEUX DE SON CHOIX !

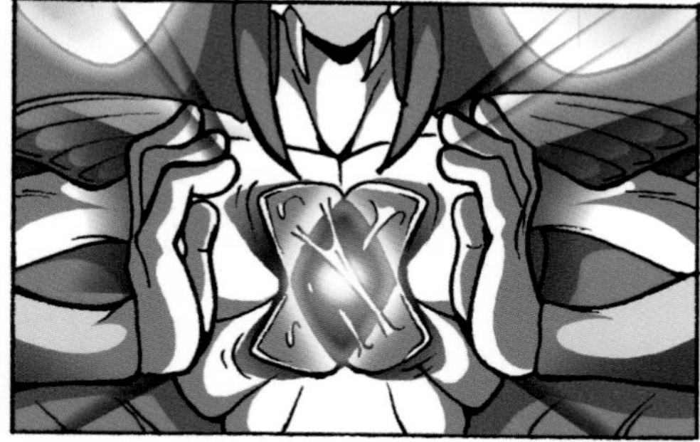

LA PIERRE DE CRESCIA, ENFIN !

VERTIG ?
SKROOAAA

RENDS-MOI CETTE PIERRE TOUT DE SUITE, SALE...

GULP !!

IL... IL L'A AVALÉE !!

37

ENFIN !... ENFIN !!
APRÈS TANT D'ANNÉES PRISONNIER DE CE CORPS PITOYABLE, ME VOILÀ REDEVENU MOI-MÊME !... QUELLE SENSATION !
ALYSIA ! PRENDS GARDE AU RETOUR DE "SKROA" !
VERTIG ?

MAIS...
... J'AI DÉJÀ VU CETTE SILHOUETTE !... MAIS OUI ! SUR LA TAPISSERIE QUI SE TROUVE DANS LES GALERIES DES ZAR-IKOS !! ...
VOUS ÊTES LE SORCIER GALINA QUI A AFFRONTÉ DARKHELL IL Y A UN DEMI-SIÈCLE !!!
?!

HO ! AINSI LES LÉGENDAIRES ONT ENTENDU PARLER DE MOI ? TU M'EN VOIS TOUCHÉ !... OUI, JE SUIS BIEN CELUI QUI S'EST DISPUTÉ LA CONQUÊTE D'ALYSIA AVEC LE SORCIER NOIR.
COMME TU LE SAIS SANS DOUTE, J'AI PERDU LE COMBAT ! MAIS PLUTÔT QUE D'EN FINIR AVEC MOI, DARKHELL A JUGÉ QUE JE POURRAIS LUI ÊTRE UTILE EN TANT QUE ... "COBAYE" POUR SES EXPÉRIENCES MAGIQUES.

IL M'A ENFERMÉ DANS UNE SPHÈRE DE MAGIE À L'INTÉRIEUR DE LAQUELLE J'AI SUBI, ANNÉE APRÈS ANNÉE, DES TORTURES ET DES MALÉFICES AU-DELÀ DE TON IMAGINATION ... ET UN JOUR, DARKHELL DÉCIDA DE TESTER SUR MOI SA DERNIÈRE DÉCOUVERTE...
... LA PIERRE DE JOVÉNIA !
38

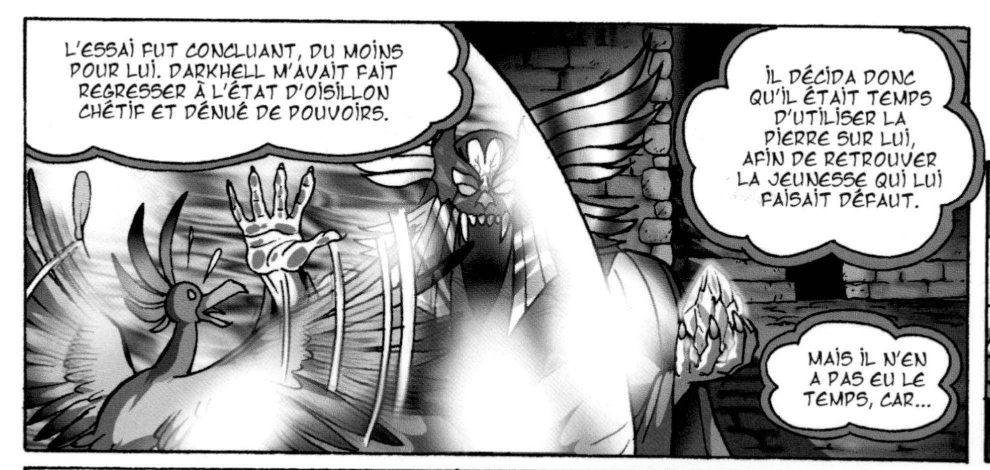
L'ESSAI FUT CONCLUANT, DU MOINS POUR LUI. DARKHELL M'AVAIT FAIT REGRESSER À L'ÉTAT D'OISILLON CHÉTIF ET DÉNUÉ DE POUVOIRS.
IL DÉCIDA DONC QU'IL ÉTAIT TEMPS D'UTILISER LA PIERRE SUR LUI, AFIN DE RETROUVER LA JEUNESSE QUI LUI FAISAIT DÉFAUT.
MAIS IL N'EN A PAS EU LE TEMPS, CAR...

... VOUS AUTRES, LÉGENDAIRES, ÊTES VENUS À CASTHELL METTRE UN TERME À SES AGISSEMENTS.

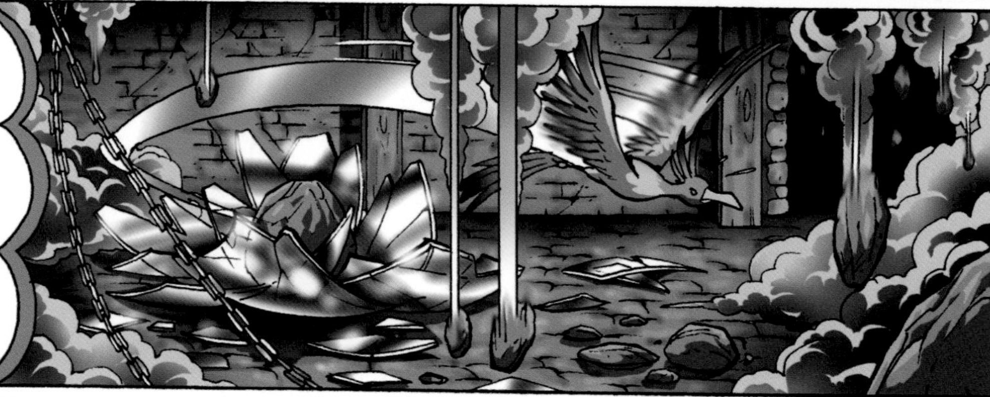
LE COMBAT QUE VOUS AVEZ MENÉ A TELLEMENT ÉBRANLÉ LE CHÂTEAU AU FOND DUQUEL J'ÉTAIS ENFERMÉ QUE MA PRISON DE VERRE A ÉTÉ BRISÉE PAR DES DÉBRIS
...
HÉ OUI ! SANS LE SAVOIR, VOUS M'AVIEZ LIBÉRÉ DE CES LONGUES ANNÉES D'EMPRISONNEMENT.

ET QUELLE N'A PAS ÉTÉ MA SURPRISE LORSQUE J'AI CONSTATÉ QUE DARKHELL, QUE VOUS AVIEZ VAINCU ET LAISSÉ POUR MORT, ÉTAIT DEVENU UN ENFANT FRAPPÉ D'AMNÉSIE. J'AI VITE COMPRIS QUE LA PIERRE DE JOVÉNIA AVAIT ÉTÉ BRISÉE AU COURS DE VOTRE LUTTE ET QUE LE RÉSULTAT ÉTAIT À PRÉSENT SOUS MES YEUX.
ALORS, J'AI ÉLABORÉ UN PLAN DES PLUS BRILLANTS, EN TOUTE MODESTIE.

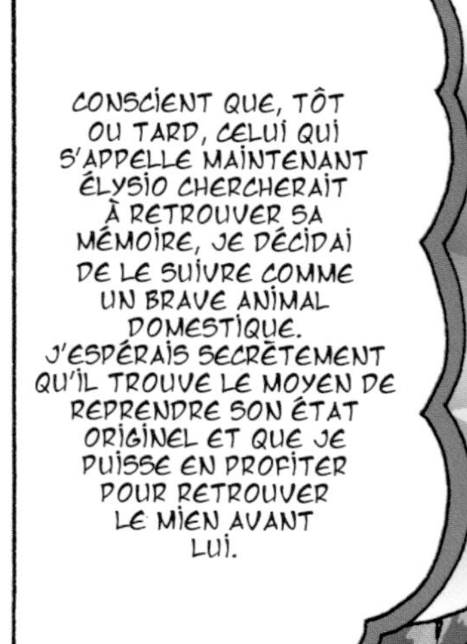

CONSCIENT QUE, TÔT OU TARD, CELUI QUI S'APPELLE MAINTENANT ÉLYSIO CHERCHERAIT À RETROUVER SA MÉMOIRE, JE DÉCIDAI DE LE SUIVRE COMME UN BRAVE ANIMAL DOMESTIQUE. J'ESPÉRAIS SECRÈTEMENT QU'IL TROUVE LE MOYEN DE REPRENDRE SON ÉTAT ORIGINEL ET QUE JE PUISSE EN PROFITER POUR RETROUVER LE MIEN AVANT LUI.
39

MAIS SA RENCONTRE AVEC LES ZAR-IKOS, QUI RISQUAIENT DE LE FAIRE REDEVENIR DARKHELL, ME FIT COMPRENDRE QU'IL ÉTAIT TEMPS POUR MOI DE CHANGER DE CAMP.

HAAAGH !
J'AI DONC DÉCIDÉ QUE CE SERAIT VOUS, LES LÉGENDAIRES, QUI ME CONDUIRIEZ JUSQU'À LA PIERRE DE CRESCIA. VOILÀ POURQUOI JE VOUS AI AIDÉS À VOUS ÉCHAPPER DES GALERIES SOUS-TERRAINES ! DEPUIS, JE VOUS AI SUIVI TOUT DU LONG...

... JUSQU'À LUI !

GARDIEN !! VOUS SAVIEZ QU'IL NOUS SUIVAIT, N'EST-CE PAS ? VOUS ÉTIEZ DE MÈCHE AVEC LUI ! SOYEZ MAUDIT !!

EN EFFET, JE SAVAIS QUE SKROA ÉTAIT SUR VOS TRACES ET QU'IL ESPÉRAIT QUE VOUS LE CONDUIRIEZ JUSQU'À MOI. MAIS JE NE SUIS NI POUR LE BIEN NI POUR LE MAL.
IL A TRAVERSÉ LES ÉPREUVES EN VOUS LAISSANT LES AFFRONTER À SA PLACE. CERTES, IL EST FOURBE, MAIS IL A ÉTÉ LE PREMIER À SE SAISIR DE LA PIERRE. IL A RESPECTÉ LES RÈGLES... À SA FAÇON !

HUNGH...
BON ! IL EST TEMPS D'EN FINIR AVEC CETTE HISTOIRE.
HO ! NE T'INQUIÈTE PAS ! CE SERA SANS DOULEUR. ENFIN, PRESQUE !

GYAAAAAH !!!

HAAA... MON BRAS !! JE SUIS BLESSÉ ! QUI ? QUI A OSÉ ?
40

JADINA !!

RRRR ! LES CHOSES SE COMPLIQUENT ! IL EST TEMPS POUR MOI DE TIRER MA RÉVÉRENCE.

MAIS ON SE REVERRA, LÉGENDAIRES !!
TÉLÉPORTATION MAGIQUE, QUEL TROUILLARD !!
BAMF!

JADINA !
JE CROIS... QUE JE SUIS ARRIVÉE À TEMPS... DANAËL.

C'EST VRAI QUE... J'AI TELLEMENT SOMMEIL...

GRYF... N'A PAS SURVÉCU. IL... IL... M'A SAUVÉE.
MAIS... JE CROIS QUE...
TOUT VA BIEN SE PASSER, MAINTENANT ! JE TE LE PROMETS, JADINA !
CHUT ! TU DOIS TE REPOSER, À PRÉSENT.

CHEVALIER DANAËL !
41

PUISQUE LA PIERRE DE CRESCIA N'EST PLUS DISPONIBLE, VOUS AVEZ LE DROIT DE CHOISIR UNE AUTRE PIERRE MAGIQUE.
JE N'AI QUE FAIRE DE CES FICHUS CAILLOUX ! SEULE LA PIERRE DE CRESCIA AURAIT PU JUSTIFIER UN TEL GÂCHIS DE VIES HUMAINES !

VOILÀ UN DILEMME DES PLUS FÂCHEUX ET... DES PLUS INTÉRESSANTS ! VOUS AVEZ TRIOMPHÉ DES PIÈGES DE KLASHINGA ET VOUS NE VOULEZ PAS DE PIERRE ? ... HUM...

NAVRÉ, MAIS IL M'EST IMPOSSIBLE DE VOUS LAISSER PARTIR SANS RÉCOMPENSE !
?!

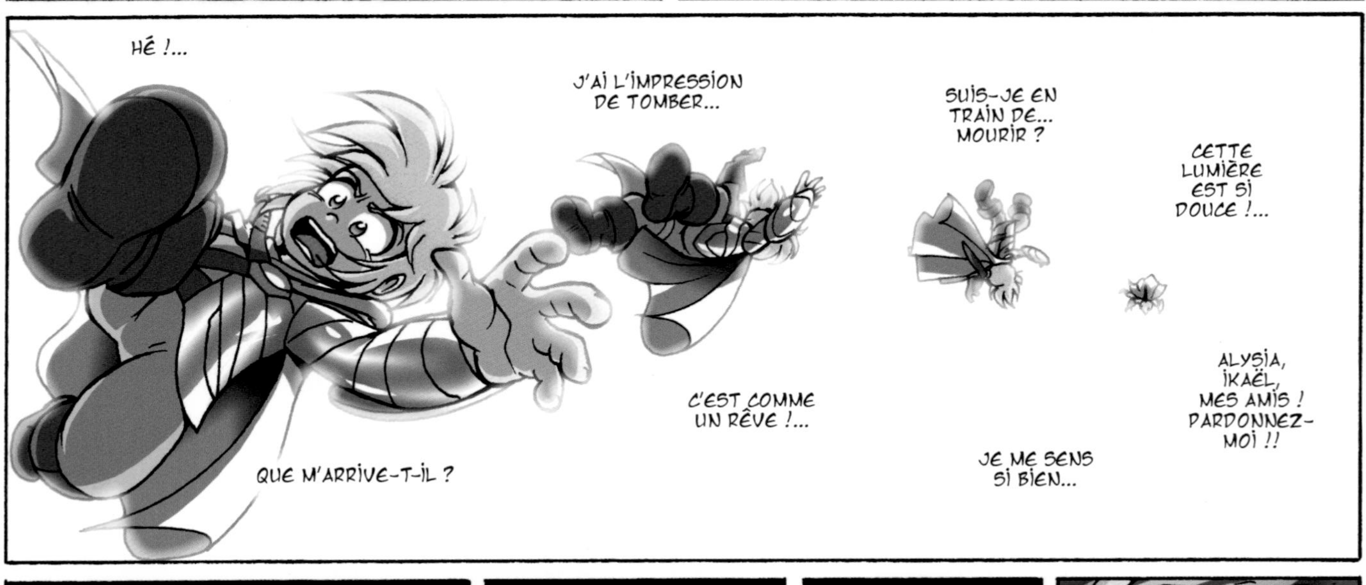
HÉ !...
QUE M'ARRIVE-T-IL ?
J'AI L'IMPRESSION DE TOMBER...
C'EST COMME UN RÊVE !...
SUIS-JE EN TRAIN DE... MOURIR ?
JE ME SENS SI BIEN...
CETTE LUMIÈRE EST SI DOUCE !...
ALYSIA, IKAËL, MES AMIS ! PARDONNEZ-MOI !!

HÉ ! MAIS... POURQUOI TOUT EST NOIR MAINTENANT ?
HUM ? TIENS ?

J'AI... MON NEZ QUI ME CHATOUILLE ! ... C'EST NORMAL POUR UN MORT ?

ET SI JE TENTAIS D'OUVRIR LES YEUX ?

?!
42

GRYF ?
ZZZZ... HUM ?... HEIN ? QUOI ?
SHIMY ?
RAZZIA ?
MOINS FORT ! J'AI UN MAL DE TÊTE TERRIBLE !
JADINA ?
HUM ! DES CROISSANTS POUR LE PETIT DÉJEUNER, MERCI !
HOO ! ZE DORMAIS ZI BIEN.

MAIS... VOUS... NOUS SOMMES TOUS VIVANTS !
HO, BEN OUI, TIENS ! COMMENT ÇA S'FAIT ?
HEU... ON PEUT SAVOIR CE QUE TU FAIS, JADINA ?
TAIS-TOI ET SERRE-MOI DANS TES BRAS !... SNIF !
Z'EST PREZQUE DOMMAZE ! Z'AVAIS TROUVÉ UN BON MOYEN DE MAIGRIR.

MAIS OUI ! LA RÉCOMPENSE DU GARDIEN, C'EST ÇA !
TAP
LE GARDIEN ? TU AS RENCONTRÉ LE GARDIEN ?

...
GRYF ? TU... PEUX ME DIRE CE QUE TU CHERCHES ?
BEN, LA PIERRE DE CRESCIA, TIENS !

ELLE EST OÙ ?
BEN, C'EST-À-DIRE QUE...
DANAËL ! COMMENT POUVONS-NOUS ÊTRE ENCORE EN VIE ?... HO, LÂCHE-MOI, TOI !
BOUH ! JE SUIS SI CONTENTE ! BOUH-OUH !
BEN, C'EST-À-DIRE QUE...

DANAËL !!
43

ÌKAËL !
LES FAUCONS D'ARGENT !
LIONFEU !

VOUS ÊTES DE NOUVEAU HUMAINS ! MAIS COMMENT... ?
NOUS ESPÉRIONS QUE TU SAURAIS RÉPONDRE À CETTE QUESTION ! ON S'EST RÉVEILLÉS À L'INSTANT SOUS CETTE FORME ; À QUELQUES MÈTRES D'ICI, DANS LA FORÊT.

... ET CE LION ELFIQUE SE TROUVAIT À CÔTÉ DE NOUS.
LIONFEU ! JE CROYAIS NE JAMAIS TE REVOIR !
C'EST... MERVEILLEUX ! BOU-HOUUUH... SNIF !

JE PENSE QUE C'EST LE GARDIEN QUI VOUS A LIBÉRÉS DE ...
HEU... DANAËL ? À PROPOS DU GARDIEN...

... Z'CROIS QU'IL A DÉMÉNAZÉ. ZON CHÂTEAU A DIZPARU !
44

JE NE SUIS PAS TRÈS SURPRIS. JE SUIS CERTAIN QU'IL RÉAPPARAÎTRA LORSQUE DE NOUVEAUX AVENTURIERS VIENDRONT À LA RECHERCHE DES PIERRES.
ZE LEUR ZOUHAITE BONNE CHANZE !
JE NE VOUDRAIS PAS JETER UN FROID, MAIS... C'EST PAS À CET ARBRE QU'ÉLYSIO ÉTAIT ATTACHÉ ?

ÉLYSIO S'EST ÉCHAPPÉ !!!
♪
HA ! C'ÉTAIT BIEN CET ARBRE, ALORS !

... ZUT ! AVEC TOUT ÇA, JE L'AVAIS COMPLÈTEMENT OUBLIÉ ! J'ESPÈRE QU'IL N'AURA PAS LA FOLLE IDÉE DE REPARTIR CHEZ LES ZAR-IKOS POUR PRENDRE CE FICHU PHILTRE DE MÉMOIRE.
SI C'EST ÇA QUI T'INQUIÈTE, PETIT FRÈRE, IL FAUT QUE TU SACHES QUE L'ENDROIT EST INACCESSIBLE D'ICI. IL FAUDRA QUE CET ÉLYSIO Y RENONCE !
BON, C'EST PAS TOUT ÇA, MAIS ON FAIT QUOI MAINTENANT ?

EH BIEN, JE CROIS QUE CETTE FOIS-CI, NOTRE AVENTURE EST TERMINÉE. COMME CONVENU, LES LÉGENDAIRES S'ÉTAIENT REFORMÉS POUR LA DERNIÈRE FOIS.
JE PARTIRAI SEUL À LA RECHERCHE D'UN AUTRE MOYEN DE RENDRE À ALYSIA SON VRAI VISAGE. QUANT À VOUS, JE DEVINE QUE VOUS AVEZ HÂTE DE RETROUVER UNE VIE PLUS CALME.

CES DERNIERS JOURS, ON A ÉTÉ ATTAQUÉS PAR DES INSECTES GÉANTS, KIDNAPPÉS PAR DES HOMMES-PLANTES, ET MÊME TUÉS PAR LES PIÈGES D'UNE CRÉATURE CRÉÉE PAR LES DIEUX. ALORS JE PENSE PARLER AU NOM DE TOUS EN DISANT...
45

... QU'IL EST HORS DE QUESTION DE TE LAISSER T'ACCAPARER LA GLOIRE TOUT SEUL ! ... "LÉGENDAIRES UNIS UN JOUR, LÉGENDAIRES UNIS TOUJOURS !!"
HA! HA! HA!
HA!
HA! HA! HA! HA! HA! HA! HA!

DANS CE CAS... MONDE D'ALYSIA ! PRÉPARE-TOI AU RETOUR...
... DES LÉGENDAIRES !!!

ET VOUS SAVEZ QUOI, LES AMIS ?... JE SENS QUE CETTE FOIS-CI, TOUT SE PASSERA BIEN !
FIN DE L'ÉPISODE.

# PROCHAINEMENT

**Les Légendaires**
**pourront-ils s'associer au trio baptisé « Les Fabuleux » ?**

**Et trouver ensemble le responsable de la « Peste Magique », une mystérieuse maladie mortelle qui terrasse le peuple Elfique ?**

**Vous le saurez en lisant**

# « FRÈRES ENNEMIS »

**troisième épisode des aventures de**

## Danaël, Jadina, Gryf, Shimy et Razzia

**Disponible chez votre libraire.**